JACQUELINE HELD

TRAGONCETE, PELIGRO PUBLICO

RENACUAJOS

ANAYA

—Eh, ¿pero qué estás mirando?
—le pregunta a Tragoncete
la abuelita
Manolita.
Pero está más que mirando:
Tragoncete está admirando
un descapotable rojo.
Se le están yendo los ojos
tras ese coche tomate
que está en el escaparate.

Y Tragoncete murmura:
«¡Qué aventura!
Puerta... potencia... motor...
piloto... carburador...
maletero...»

Y, bueno, en aquel instante
llega un papel volandero
que habla de un premio primero,
de coches y de volante.

—¡Yo quiero participar!
—dice el lobo desde anoche—.
¿No veis que puedo ganar
un coche?
Quiero sacar el carné.
—¿El carné? ¡Qué disparate!
—dice la abuela de pie—.
Tragoncete,
estás loco de remate.
—¡Hurra! ¡Viva Tragoncete!
—grita contenta María,
aplaudiendo de alegría—.
Con una sola lección,
vas a ser un campeón.

Y el lobo va a la autoescuela
para hacerse conductor.
Le recibe el monitor,
que se llama Triquiñuela.

Tragoncete es un artista.
Cuatro clases en la escuela
del monitor Triquiñuela,
y ya está pidiendo pista.
¡El lobo es un buen alumno!
Ha sacado Tragoncete
el carné en un periquete,
¡y con el número uno!
Llegan las enhorabuenas,
y las felicitaciones,
todas llenas
de alegría
y emociones.
—¡Tragoncete, te has llevado
el premio! —dice María—.
Has ganado
el coche como querías.

—Tengo un coche nuevecito,
rojo como una cereza,
subo, arranco, toco el pito,
y luego a correr empieza.

Y Tragoncete al instante
se coloca ante el volante.
—Venga, señor Triquiñuela,
monte conmigo delante.
Detrás, María y la abuela.
Nos vamos al campo un rato
a probar este aparato
y a ver pueblos y elefantes.

—¿Elefantes,
Tragoncete?
—Me gustan los elefantes;
quien no quiera que se quede.
¡Pu-pu-pú, pi-pí, po-pó!
¡Vamos en un avión!
Ahora meto la primera,
la segunda, la tercera...
Esto va mucho mejor.
¡Piso el acelerador
y enfilo la carretera!

El semáforo está verde,
y Tragoncete acelera
que se pierde.
El coche va a la carrera.
¡Ay, qué risa!
¡Más de prisa, más de prisa!
¡Cómo va el descapotable!
¡Formidable!
Y entonces dice María:
—Tragoncete,
sé prudente.
Nos sigue la policía.

—¡Más despacio, Tragoncete,
vas a ciento veintisiete!
Te mereces un suspenso;
no sé quién te dio el carné.

Pero Tragoncete, tenso,
pisa y no levanta el pie.
Se inclina sobre el volante,
y pasa el viento silbante.
—¡Adiós, vacas, bueyes, osos
y elefantes!
¡Es un paseo precioso!
¡Alirón,
cambiemos de dirección!

Y Tragoncete, en directa,
enfila una buena recta.
Los árboles, asustados,
se inclinan a los dos lados,
al pasar como una flecha
Tragoncete a toda mecha.
—¡Pu-pu-pú, pi-pí, po-pó!
¡Vamos en un avión!

—¡Hay que ver qué entretenido!
—dice el lobo, divertido—.
El volante
es tan suave como un guante.
Cómo corre, cómo vuela
el coche, ¿verdad, abuela?
¡De primera!
—¡Eh, Tragoncete, una vaca!
¡Mírala en la carretera!
¡Para, Tragoncete, para!
¡Frena, Tragoncete, frena!
¡Madre mía!
¡Frena! —le dice María.

—¿Que hay una vaca? ¡No creo!
¿Dónde está, que no la veo?
—¿Qué dices?
¡Delante de tus narices!

El lobo hace una pirueta,
pero al fin no la atropella,
puesto que ella
ha saltado a la cuneta.

Y luego la carretera
desemboca en una pista
de primera:
se celebra una carrera.
Y Tragoncete en seguida
dice:
—¡Bien!
¡Yo voy a correr también!

—¡El semáforo está rojo!
¡Para, para!

Tragoncete no oye nada:
sólo tiene puesto el ojo
en la carrera.
Y Tragoncete acelera,
adelanta muy ligero.
Pronto se pone el primero.

La abuelita
Manolita
va callada.
—¿Vas bien? —pregunta María.
Ella responde:
                    —¡Pues claro!
¡Que se me vuela el sombrero!

No tiene nada de raro:
Tragoncete va el primero.
Con tanto acelerador,
yo me siento
lo mismo que un ruiseñor.

Lo mismo que una saeta,
Tragoncete está llegando
a la línea de la meta.
Mas, ¡cielos!, ¿qué está pasando?
¡Oh, qué horror!
¡El lobo no encuentra el freno!
—¡Pero, bueno!
¿Qué hace ese conductor?
—¡Destructor!
—¡Es un atropellador!

Pero el coche casualmente
se detiene suavemente.
Una niña regordeta
le ofrece un ramo de flores,
con flores de mil colores.
Y luego, a son de trompeta,
se celebra su victoria
y su gloria.
¡Tragoncete,
piloto de rechupete,
campeón y vencedor!
—¡Pu-pu-pú, pi-pí, po-pó!
Tragoncete es el mejor.